Estrela da manhã

Manuel Bandeira em 1908.

Na casa de Gilberto Freyre, no Recife, década de 1920.

Manuel Bandeira, em 1926.

Capa da primeira edição de *Estrela da manhã*, 1936, com desenho de Santa Rosa.

LISTA DOS SUBSCRITORES DE ESTRELA DA MANHÃ

1. Luís Camilo
2. Fredy Blank
3. Manuel Alves de Sousa
4. Emílio Moura
5. Mario de Andrade
6. M. B.
7. Mario de Andrade
8. Biblioteca Municipal de S. Paulo
9. Rodrigo M. F. de Andrade
10. Vera M. F. de Andrade
11. Rui Coutinho
12. Oneida Alvarenga
13. José Olimpio
14. Fernando Mendes de Almeida
15. Paulo Ribeiro de Magalhães
16. Antonio Couto de Barros
17. Afonso Arinos de Melo Franco
18. Santa Rosa
19. Pedro Nava
20. Jaime Ovale
21. Adalgiza Neri
22. Lucia Miguel-Pereira
23. José Lins do Rego
24. Sergio Buarque de Holanda
25. Portinari
26. Carlos Leão
27. Carlos Drummond de Andrade
28. Gustavo Capanema
29. Jorge de Lima
30. Ribeiro Couto
31. Armando de Oliveira
32. Otavio Tarquinio
33. Prudente de Morais, neto
34. Gilberto Freyre
35. José Claudio da Costa Ribeiro
36.
37. Onestaldo de Pennafort
38. Anibal Machado
39. Manuel Leão
40. Mucio Leão
41. Vinicius de Morais
42. Pernambuco
43. Pernambuco
44. Olivio Montenegro
45. Lucio Cardoso
46. Pernambuco
47. Milton Campos
48. Amando Fontes
49. M. B.
50. Alvaro Moreyra

Lista dos subscritores da primeira edição de *Estrela da manhã*.

Manuel Bandeira em casa de seus pais, no Rio.

Na Rua do Curvelo, Santa Teresa, Rio, década de 1920.

Manuel Bandeira em retrato de Nicolas Alagemovitz, década de 1930.

Em conversa com o amigo Orígenes Lessa, na década de 1950.

Manuel Bandeira em Teresópolis, 1966 (p. 8 e 9).

Manuel Bandeira

Estrela da manhã

Apresentação
Ferreira Gullar

Coordenação Editorial
André Seffrin

© Condomínio dos Proprietários dos Direitos Intelectuais de Manuel Bandeira
Direitos cedidos por Solombra – Agência Literária (solombra@solombra.org)

3ª Edição, Global Editora, São Paulo 2012
1ª Reimpressão, 2017

Jefferson L. Alves – diretor editorial
Gustavo Henrique Tuna – editor assistente
André Seffrin – coordenação editorial, estabelecimento de texto, cronologia e bibliografia
Flávio Samuel – gerente de produção
Tatiana F. Souza – assistente editorial
Tatiana Y. Tanaka – revisão
Eduardo Okuno – projeto gráfico

Obra atualizada conforme o
NOVO ACORDO ORTOGRÁFICO DA LÍNGUA PORTUGUESA.

Imagens:
p. 4 (inf.): reprodução fotográfica de Lucia Loeb de exemplar da Biblioteca Brasiliana Guita e José Mindlin.

As demais imagens presentes neste volume pertencem ao Acervo pessoal de Manuel Bandeira, ora em guarda no Arquivo-Museu de Literatura Brasileira/ Fundação Casa de Rui Barbosa-RJ. *Todas as iniciativas foram tomadas no sentido de estabelecer-se as suas autorias, o que não foi possível em todos os casos. Caso os autores se manifestem, a editora dispõe-se a creditá-los.*

Capa e p. 9: Hélio Santos/*Manchete*; p. 7 (sup.): Nicolas Alagemovitz; p. 8: Juvenil de Sousa/*Manchete*.

A Global Editora agradece à Solombra – Agência Literária pela gentil cessão dos direitos de imagem de Manuel Bandeira.

CIP-BRASIL. CATALOGAÇÃO NA FONTE
SINDICATO NACIONAL DOS EDITORES DE LIVROS, RJ

B166e

Bandeira, Manuel, 1886-1968
    Estrela da manhã / Manuel Bandeira ; apresentação Ferreira Gullar. – [3.ed.] – São Paulo : Global, 2012.

    ISBN 978-85-260-1703-0

    1. Poesia brasileira. I. Título.

12-2309.   CDD: 869.91
                                                  CDU: 821.134.3(81)-1

12.04.12   13.04.12   034543

Direitos Reservados

global editora e distribuidor ltda.
Rua Pirapitingui, 111 – Liberdade
CEP 01508-020 – São Paulo – SP
Tel.: (11) 3277-7999 – Fax: (11) 3277-8141
e-mail: global@globaleditora.com.br
www.globaleditora.com.br

Colabore com a produção científica e cultural.
Proibida a reprodução total ou parcial desta obra
sem a autorização do editor.

Nº de Catálogo: **3397**

Estrela da manhã

O poeta da transição

Manuel Bandeira pode ser visto como o poeta que realizou a transição da poesia brasileira do final do século XIX para a poesia moderna, ou seja, da poética parnasiano-simbolista para o verso livre e a linguagem coloquial, espontânea. Se pode não ter sido o único, foi certamente quem melhor o fez pelas qualidades mesmas de seu talento poético.

Na verdade, essa transição envolvia mais coisas, além das questões formais a que me referi: envolvia o abandono de uma visão de mundo impregnada de religiosidade e simbologia – característica daquela fase de nossa literatura – em troca de uma outra, oposta, identificada com o cotidiano banal e intranscendente.

No entanto, quando digo que Manuel Bandeira realizou essa transição, não ignoro o modo como isso se deu. Ou seja, se ele passa a escrever não mais como "poeta" – no sentido acadêmico do termo – e, sim, como um homem comum, não chega de fato a livrar-se inteiramente de certas reminiscências que nos remetem a seus poemas da fase anterior, como os do livro *A cinza das horas*.

A transição a que me refiro começa, na verdade, com o livro *Carnaval* – em cujos poemas ainda prevalecem a métrica e a rima –, seguido de *O ritmo dissoluto*, para ampliar-se em *Libertinagem*, livro imediatamente anterior a este, *Estrela da manhã*, cuja primeira edição, de apenas 50 exemplares, é de 1936. A transição se dá aos poucos, como se pode observar ao ler, por exemplo, o poema "A morte de Pã" (*Carnaval*), que versa a figura mitológica do deus grego, muito longe ainda dos temas cotidianos que definem a poesia moderna e que passarão a predominar em seus livros posteriores. Por isso mesmo, se a consequência futura da opção feita pelo poeta será a ruptura com o passado, fica evidente que ela se dá como consequência final desse referido processo de transição, que assume, por isso mesmo, importância histórica, naquela fase de nascimento da poesia moderna brasileira. Isso é implicitamente admitido por poetas de gerações posteriores, como Carlos Drummond de Andrade e Vinicius de Moraes, que o reconhecem como mestre.

Na verdade, o domínio da poética consagrada, de que dá demonstração cabal no livro de estreia, a amplitude dos temas ali explorados e, em seguida, a irreverência com que passa a tratar os valores consagrados, fazem dele um exemplo único desse momento de nossa história literária, pois, de certo modo, ajuda a determinar-lhe o futuro.

É nesse quadro que se situa *Estrela da manhã*, cujo poema título é por si só a expressão do caminho que sua poesia irá percorrer. Não um caminho novo do ponto de vista formal, mas, sim, de conteúdo. Vou tentar ser mais claro: nesse poema, deparamo-nos com uma atitude inusitada e contraditória, que parece dominar o espírito do poeta, uma vez que ele quer a estrela da manhã, não sabe onde ela estará, mas a quer desesperadamente, não importa se pura ou degradada até a última baixeza.

Trata-se, evidentemente, de uma posse simbólica, já que ninguém pode pretender possuir uma estrela, ainda que degradada. O que o poeta expressa, no fundo, é seu desapreço pelos valores que a poesia tradicional consagrara: a pureza, o amor ideal, a busca da perfeição, e consequentemente uma irreverência bem-humorada, que distinguirá sua poesia. Embora aquele não seja o primeiro poema em que esta questão se coloca, ela aqui aparece de modo mais explícito e contundente.

Tanto isso é verdade que, noutro poema do mesmo livro, ele escreve: "Que importa a paisagem, a Glória, a baía, a linha do horizonte?/ – O que eu vejo é o beco". Trata-se de uma atitude diametralmente oposta à do poema anterior, em que repelia qualquer conformismo ou conveniência. Agora, aceita o beco porque ele é a realidade, o que tem diante de si; o sonho não importa.

Mas a contradição é, de fato, aparente, porque o que ele nos comunica, neste livro, como nos dois anteriores, é que o mundo, de que nos falava a poesia do passado, era puro porque não existia. Parece dizer-nos: ou aceitamos a impureza do real ou fugimos dele, como os poetas do passado. No caso de Bandeira, portanto, a opção está feita: mais vale o beco, que tenho diante de mim, do que a linha do horizonte que não vejo.

Noutras palavras, é na descoberta da beleza das coisas cotidianas que reside a nova poesia. O que importa, para o poeta, é que ela nos encante como uma estrela da manhã, mais terrestre que celeste.

FERREIRA GULLAR

Estrela da manhã

Estrela da manhã

Eu quero a estrela da manhã
Onde está a estrela da manhã?
Meus amigos meus inimigos
Procurem a estrela da manhã

Ela desapareceu ia nua
Desapareceu com quem?
Procurem por toda parte

Digam que sou um homem sem orgulho
Um homem que aceita tudo
Que me importa?
Eu quero a estrela da manhã

Três dias e três noites
Fui assassino e suicida
Ladrão, pulha, falsário

Virgem malsexuada
Atribuladora dos aflitos
Girafa de duas cabeças
Pecai por todos pecai com todos

Pecai com os malandros
Pecai com os sargentos

Pecai com os fuzileiros navais
Pecai de todas as maneiras
Com os gregos e com os troianos
Com o padre e com o sacristão
Com o leproso de Pouso Alto

Depois comigo

Te esperarei com mafuás novenas cavalhadas comerei
    [terra e direi coisas de uma ternura tão simples
Que tu desfalecerás

Procurem por toda parte
Pura ou degradada até a última baixeza
Eu quero a estrela da manhã.

Canção das duas Índias

Entre estas Índias de leste
E as Índias ocidentais
Meu Deus que distância enorme
Quantos Oceanos Pacíficos
Quantos bancos de corais
Quantas frias latitudes!
Ilhas que a tormenta arrasa
Que os terremotos subvertem
Desoladas Marambaias
Sirtes sereias Medeias
Púbis a não poder mais
Altos como a estrela-d'alva
Longínquos como Oceanias
– Brancas, sobrenaturais –
Oh inacessíveis praias!...

1931

Poema do beco

Que importa a paisagem, a Glória, a baía, a linha do
[horizonte?
– O que eu vejo é o beco.

1933

Balada das três mulheres do sabonete Araxá

As três mulheres do sabonete Araxá me invocam, me
[bouleversam, me hipnotizam.
Oh, as três mulheres do sabonete Araxá às 4 horas
[da tarde!
O meu reino pelas três mulheres do sabonete Araxá!

Que outros, não eu, a pedra cortem
Para brutais vos adorarem,
Ó brancaranas azedas,
Mulatas cor da lua vem saindo cor de prata
Ou celestes africanas:
Que eu vivo, padeço e morro só pelas três mulheres
[do sabonete Araxá!

São amigas, são irmãs, são amantes as três mulheres
[do sabonete Araxá?
São prostitutas, são declamadoras, são acrobatas?
São as três Marias?

Meu Deus, serão as três Marias?

A mais nua é doirada borboleta.
Se a segunda casasse, eu ficava safado da vida, dava
[pra beber e nunca mais telefonava.

Mas se a terceira morresse... Oh, então, nunca mais
[a minha vida outrora teria sido um festim!

Se me perguntassem: Queres ser estrela? queres ser
[rei? queres uma ilha no Pacífico?
[um bangalô em Copacabana?
Eu responderia: Não quero nada disso, tetrarca. Eu
[só quero as três mulheres do sabonete Araxá:
O meu reino pelas três mulheres do sabonete Araxá!

Teresópolis, 1931

O amor, a poesia, as viagens

Atirei um céu aberto
Na janela do meu bem:
Caí na Lapa – um deserto...
– Pará, capital Belém!...

1933

O desmemoriado de Vigário Geral

Lembrava-se, como se fosse ontem, isto é, há quarenta séculos, que um exército de pirâmides o contemplava. Mas não saberia precisar onde, a que luz ou em que sol de que extinta constelação. Não obstante preferia que fosse na estrela mais branca do cinturão de Órion.

É verdade: havia uma mulher que telefonava. Mas tão distante, meu Deus, que era como se lhe faltasse a ela e para todo o sempre um atributo humano indispensável.

Se lhe propunham exemplos – o xeque do pastor, o pau de amarrar égua, o mal-assombrado de Guapi, futura cidade, ele dissimulava. Era então horrível de se ver.

Afinal um dia foi encontrado morto e quando já nem tudo era possível, uma aventura banal.

A filha do rei

Aquela cor de cabelos
Que eu vi na filha do rei
– Mas vi tão subitamente –
Será a mesma cor da axila,
Do maravilhoso pente?
Como agora o saberei?
Vi-a tão subitamente!
Ela passou como um raio:
Só vi a cor dos cabelos.
Mas o corpo, a luz do corpo?...
Como seria o seu corpo?...
Jamais o conhecerei!

Cantiga

Nas ondas da praia
Nas ondas do mar
Quero ser feliz
Quero me afogar.

Nas ondas da praia
Quem vem me beijar?
Quero a estrela-d'alva
Rainha do mar.

Quero ser feliz
Nas ondas do mar
Quero esquecer tudo
Quero descansar.

Marinheiro triste

Marinheiro triste
Que voltas para bordo
Que pensamentos são
Esses que te ocupam?
Alguma mulher
Amante de passagem
Que deixaste longe
Num porto de escala?
Ou tua amargura
Tem outras raízes
Largas fraternais
Mais nobres mais fundas?
Marinheiro triste
De um país distante
Passaste por mim
Tão alheio a tudo
Que nem pressentiste
Marinheiro triste
A onda viril
De fraterno afeto
Em que te envolvi.

Ias triste e lúcido
Antes melhor fora

Que voltasses bêbedo
Marinheiro triste!

E eu que para casa
Vou como tu vais
Para o teu navio,
Feroz casco sujo
Amarrado ao cais,
Também como tu
Marinheiro triste
Vou lúcido e triste.

Amanhã terás
Depois que partires
O vento do largo
O horizonte imenso
O sal do mar alto!
Mas eu, marinheiro?

– Antes melhor fora
Que voltasse bêbedo!

Boca de forno

Cara de cobra,
Cobra!
Olhos de louco,
Louca!

Testa insensata
Nariz Capeto
Cós do Capeta
Donzela rouca
Porta-estandarte
Joia boneca
De maracatu!

Pelo teu retrato
Pela tua cinta
Pela tua carta
Ah tôtô meu santo
Eh Abaluaê
Inhansã boneca
De maracatu!

No fundo do mar
Há tanto tesouro!
No fundo do céu
Há tanto suspiro!

No meu coração
Tanto desespero!

Ah tôtô meu pai
Quero me rasgar
Quero me perder!

Cara de cobra,
Cobra!
Olhos de louco,
Louca!
Cussaruim boneca
De maracatu!

Oração a Nossa Senhora da Boa Morte

Fiz tantos versos a Teresinha...
Versos tão tristes, nunca se viu!
Pedi-lhe coisas. O que eu pedia
Era tão pouco! Não era glória...
Nem era amores... Nem foi dinheiro...
Pedia apenas mais alegria:
Santa Teresa nunca me ouviu!

Para outras santas voltei os olhos.
Porém as santas são impassíveis
Como as mulheres que me enganaram.
Desenganei-me das outras santas
(Pedi a muitas, rezei a tantas)
Até que um dia me apresentaram
A Santa Rita dos Impossíveis.

Fui despachado de mãos vazias!
Dei volta ao mundo, tentei a sorte.
Nem alegrias mais peço agora,
Que eu sei o avesso das alegrias.
Tudo que viesse, viria tarde!
O que na vida procurei sempre,
– Meus impossíveis de Santa Rita, –
Dar-me-eis um dia, não é verdade?
Nossa Senhora da Boa Morte!

1931

Momento num café

Quando o enterro passou
Os homens que se achavam no café
Tiraram o chapéu maquinalmente
Saudavam o morto distraídos
Estavam todos voltados para a vida
Absortos na vida
Confiantes na vida.

Um no entanto se descobriu num gesto largo e
[demorado
Olhando o esquife longamente
Este sabia que a vida é uma agitação feroz e sem
[finalidade
Que a vida é traição
E saudava a matéria que passava
Liberta para sempre da alma extinta.

Contrição

Quero banhar-me nas águas límpidas
Quero banhar-me nas águas puras
Sou a mais baixa das criaturas
    Me sinto sórdido

Confiei às feras as minhas lágrimas
Rolei de borco pelas calçadas
Cobri meu rosto de bofetadas
    Meu Deus valei-me

Vozes da infância contai a história
Da vida boa que nunca veio
E eu caia ouvindo-a no calmo seio
    Da eternidade.

Chanson des petits esclaves

Constellations
Maîtresses vraiment
Trop insouciantes
O petits esclaves
Secouez vos chaînes

Les cieux sont plus sombres
Que les beaux miroirs
Finis les tracas
Finie toute peine.

O petits esclaves
Black-boulez les reines

La folle journée
J'aurai vite fait
D'avoir mis d'emblée
Toutes les sirènes
Sous mes arrosoirs

Car voici demain

O petits esclaves
Secouez vos chaînes
Donnez-vous la main.

Sacha e o poeta

Quando o poeta aparece,
Sacha levanta os olhos claros,
Onde a surpresa é o sol que vai nascer.

O poeta a seguir diz coisas incríveis,
Desce ao fogo central da Terra,
Sobe na ponta mais alta das nuvens,
Faz gurugutu pif paf,
Dança de velho,
Vira Exu.
Sacha sorri como o primeiro arco-íris.

O poeta estende os braços, Sacha vem com ele.

A serenidade voltou de muito longe.
Que se passou do outro lado?
Sacha mediunizada
– Ah-pa-papapá-papá –
Transmite em Morse ao poeta
A última mensagem dos Anjos.

1931

Jacqueline

Jacqueline morreu menina.
Jacqueline morta era mais bonita do que os anjos.
Os anjos!... Bem sei que não os há em parte alguma.
Há é mulheres extraordinariamente belas que morrem
[ainda meninas.

Houve tempo em que olhei para os teus retratos de
[menina como olho agora para a
[pequena imagem de Jacqueline morta.
Eras tão bonita!
Eras tão bonita, que merecerias ter morrido na idade
[de Jacqueline

– Pura como Jacqueline.

D. Janaína

D. Janaína
Sereia do mar
D. Janaína
De maiô encarnado
D. Janaína
Vai se banhar.

D. Janaína
Princesa do mar
D. Janaína
Tem muitos amores
É o rei do Congo
É o rei de Aloanda
É o sultão dos matos
É S. Salavá!

Saravá saravá
D. Janaína
Rainha do mar!

D. Janaína
Princesa do mar
Dai-me licença
Pra eu também brincar
No vosso reinado.

Trucidaram o rio

Prendei o rio
Maltratai o rio
Trucidai o rio
A água não morre
A água que é feita
De gotas inermes
Que um dia serão
Maiores que o rio
Grandes como o oceano
Fortes como os gelos
Os gelos polares
Que tudo arrebentam.

1935

Trem de ferro

Café com pão
Café com pão
Café com pão

Virge Maria que foi isto maquinista?

Agora sim
Café com pão
Agora sim
Voa, fumaça
Corre, cerca
Ai seu foguista
Bota fogo
Na fornalha
Que eu preciso
Muita força
Muita força
Muita força

Oô...
Foge, bicho
Foge, povo
Passa ponte
Passa poste
Passa pasto
Passa boi

Passa boiada
Passa galho
De ingazeira
Debruçada
No riacho
Que vontade
De cantar!

Oô...
Quando me prendero
No canaviá
Cada pé de cana
Era um oficiá
Oô...
Menina bonita
Do vestido verde
Me dá tua boca
Pra matá minha sede
Oô...
Vou mimbora vou mimbora
Não gosto daqui
Nasci no sertão
Sou de Ouricuri
Oô...

Vou depressa
Vou correndo
Vou na toda
Que só levo
Pouca gente
Pouca gente
Pouca gente...

Tragédia brasileira

Misael, funcionário da Fazenda, com 63 anos de idade,

Conheceu Maria Elvira na Lapa – prostituída, com sífilis, dermite nos dedos, uma aliança empenhada e os dentes em petição de miséria.

Misael tirou Maria Elvira da vida, instalou-a num sobrado no Estácio, pagou médico, dentista, manicura... Dava tudo quanto ela queria.

Quando Maria Elvira se apanhou de boca bonita, arranjou logo um namorado.

Misael não queria escândalo. Podia dar uma surra, um tiro, uma facada. Não fez nada disso: mudou de casa.

Viveram três anos assim.

Toda vez que Maria Elvira arranjava namorado, Misael mudava de casa.

Os amantes moraram no Estácio, Rocha, Catete, Rua General Pedra, Olaria, Ramos, Bonsucesso, Vila Isabel, Rua Marquês de Sapucaí, Niterói, Encantado, Rua Clapp, outra vez no Estácio, Todos os Santos, Catumbi, Lavradio, Boca do Mato, Inválidos...

Por fim na Rua da Constituição, onde Misael, privado de sentidos e de inteligência, matou-a com seis tiros, e a polícia foi encontrá-la caída em decúbito dorsal, vestida de organdi azul.

1933

Conto cruel

A uremia não o deixava dormir. A filha deu uma injeção de sedol.

– Papai verá que vai dormir.

O pai aquietou-se e esperou. Dez minutos... Quinze minutos... Vinte minutos... Quem disse que o sono chegava? Então, ele implorou chorando:

– Meu Jesus-Cristinho!

Mas Jesus-Cristinho nem se incomodou.

Os voluntários do Norte

"São os do Norte que vêm"
Tobias Barreto

Quando o menino de engenho
Chegou exclamando: – "Eu tenho,
Ó Sul, talento também!",
Faria, gesticulando,
Saiu à rua gritando:
– "São os do Norte que vêm!"

Era um tumulto horroroso!
– "Que foi?" indagou Cardoso
Desembarcando de um trem.
E inteirou-se. Senão quando,
Os dois saíram gritando:
– "Ê vêm os do Norte! Ê vêm!..."

Aos dois juntou-se o Vinícius
De Morais, flor dos Vinícius,
E Melo Morais também!
– "Que foi?" as gentes falavam...
E os três amigos bradavam:
– "São os do Norte que vêm!"

Nisso aparece em cabelo
O novelista Rebelo,
Que é Dias da Cruz também!
Mais uma voz para o coro!
E foi um tremendo choro:
– "Ê vêm os do Norte! Ê vêm!..."

E o clamor ia engrossando
Num retumbar formidando
Pelas cidades além...
– "Que foi?" as gentes falavam,
E eles pálidos bradavam:
– "São os do Norte que vêm!"

Rondó dos cavalinhos

Os cavalinhos correndo,
E nós, cavalões, comendo...
Tua beleza, Esmeralda,
Acabou me enlouquecendo.

Os cavalinhos correndo,
E nós, cavalões, comendo...
O sol tão claro lá fora,
E em minh'alma – anoitecendo!

Os cavalinhos correndo,
E nós, cavalões, comendo...
Alfonso Reyes partindo,
E tanta gente ficando...

Os cavalinhos correndo,
E nós, cavalões, comendo...
A Itália falando grosso,
A Europa se avacalhando...

Os cavalinhos correndo,
E nós, cavalões, comendo...
O Brasil politicando,
Nossa! A poesia morrendo...
O sol tão claro lá fora,
O sol tão claro, Esmeralda,
E em minh'alma – anoitecendo!

Nietzschiana

– Meu pai, ah que me esmaga a sensação do nada!
– Já sei, minha filha... É atavismo.
E ela reluzia com as mil cintilações do Êxito intacto.

Rondó do Palace Hotel

No hall do Palace o pintor
Cícero Dias entre o Pão
De Açúcar e um caixão de enterro
(É um rei andrógino que enterram?)
Toca um jazz de pandeiros com a mão
Que o Blaise Cendrars perdeu na guerra.

Deus do céu, que alucinação!
Há uma criatura tão bonita
Que até os olhos parecem nus:
Nossa Senhora da Prostituição!
– "Garçom, cinco martínis!" Os
Adolescentes cheiram éter
No hall do Palace.

Aqui ninguém dá atenção aos préstitos
(Passa um clangor de clubes lá fora):
Aqui dança-se, canta-se, fala-se
E bebe-se incessantemente
Para esquecer a dor daquilo
Por alguém que não está presente
No hall do Palace.

Declaração de amor

Juiz de Fora! Juiz de Fora!
Guardo entre as minhas recordações
Mais amoráveis, mais repousantes
Tuas manhãs!

Um fundo de chácara na Rua Direita
Coberto de trapuerabas.
Uma velha jabuticabeira cansada de doçura.
Tuas três horas da tarde...
Tuas noites de cineminha namorisqueiro...
Teu lindo parque senhorial mais segundo-reinado do
          [que a própria Quinta da Boa Vista...
Teus bondes sem pressa dando voltas vadias...

Juiz de Fora! Juiz de Fora!
Tu tão de dentro deste Brasil!
Tão docemente provinciana...
Primeiro sorriso de Minas Gerais!

Flores murchas

Pálidas crianças
Mal desabrochadas
Na manhã da vida!
Tristes asiladas
Que pendeis cansadas
Como flores murchas!

Pálidas crianças
Que me recordais
Minhas esperanças!

Pálidas meninas
Sem amor de mãe,
Pálidas meninas
Uniformizadas,
Quem vos arrancara
Dessas vestes tristes
Onde a caridade
Vos amortalhou!

Pálidas meninas
Sem olhar de pai,
Ai quem vos dissera,
Ai quem vos gritara:
– Anjos, debandai!

Mas ninguém vos diz
Nem ninguém vos dá
Mais que o olhar de pena
Quando desfilais,
Açucenas murchas,
Procissão de sombras!

Ao cair da tarde
Vós me recordais
– Ó meninas tristes! –
Minhas esperanças!
Minhas esperanças
– Meninas cansadas,
Pálidas crianças
A quem ninguém diz:
– Anjos, debandai!...

A estrela e o anjo

Vésper caiu cheia de pudor na minha cama
Vésper em cuja ardência não havia a menor parcela
[de sensualidade

Enquanto eu gritava o seu nome três vezes
Dois grandes botões de rosa murcharam

E o meu anjo da guarda quedou-se de mãos postas no
[desejo insatisfeito de Deus.

Cronologia

1886
A 19 de abril, nasce Manuel Carneiro de Souza Bandeira Filho, em Recife. Seus pais, Manuel Carneiro de Souza Bandeira e Francelina Ribeiro de Souza Bandeira.

1890
A família se transfere para o Rio de Janeiro, depois para Santos, São Paulo e novamente para o Rio de Janeiro.

1892
Volta para Recife.

1896-1902
Novamente no Rio de Janeiro, cursa o externato do Ginásio Nacional, atual Colégio Pedro II.

1903-1908
Transfere-se para São Paulo, onde cursa a Escola Politécnica. Por influência do pai, começa a estudar arquitetura. Em 1904, doente (tuberculose), volta ao Rio de Janeiro para se tratar. Em seguida, ainda em tratamento, reside em Campanha, Teresópolis, Maranguape, Uruquê e Quixeramobim.

1913
Segue para a Europa, para tratar-se no sanatório de Clavadel, Suíça. Tenta publicar um primeiro livro, *Poemetos melancólicos*, de poemas em parte extraviados no sanatório quando o poeta retorna ao Brasil.

1916
Morre a mãe do poeta.

1917
Publica o primeiro livro, *A cinza das horas*.

1918
Morre a irmã do poeta, sua enfermeira desde 1904.

1919
Publica *Carnaval*.

1920
Morre o pai do poeta.

1922
Em São Paulo, Ronald de Carvalho lê o poema "Os sapos", de *Carnaval*, na Semana de Arte Moderna. Morre o irmão do poeta.

1924
Publica *Poesias*, que reúne *A cinza das horas*, *Carnaval* e *O ritmo dissoluto*.
Exerce a crítica musical nas revistas *A Ideia Ilustrada* e *Ariel*.

1925
Começa a escrever para o "Mês Modernista", página dos modernistas em *A Noite*.

1926
Como jornalista, viaja por Salvador, Recife, João Pessoa, Fortaleza, São Luís e Belém.

1928-1929
Viaja a Minas Gerais e São Paulo. Como fiscal de bancas examinadoras, viaja para Recife. Começa a escrever crônicas para o *Diário Nacional*, de São Paulo, e *A Província*, do Recife.

1930
Publica *Libertinagem*.

1935
Nomeado pelo ministro Gustavo Capanema inspetor de ensino secundário.

1936
Publica *Estrela da manhã*, em edição fora de comércio.
Os amigos publicam *Homenagem a Manuel Bandeira*, com poemas, estudos críticos e comentários sobre sua vida e obra.

1937

Publica *Crônicas da Província do Brasil*, *Poesias escolhidas* e *Antologia dos poetas brasileiros da fase romântica*.

1938

Nomeado pelo ministro Gustavo Capanema professor de literatura do Colégio Pedro II e membro do Conselho Consultivo do Departamento do Patrimônio Histórico e Artístico Nacional.
Publica *Antologia dos poetas brasileiros da fase parnasiana* e o ensaio *Guia de Ouro Preto*.

1940

Publica *Poesias completas* e os ensaios *Noções de história das literaturas* e *A autoria das "Cartas chilenas"*.
Eleito para a Academia Brasileira de Letras.

1941

Exerce a crítica de artes plásticas em *A Manhã*, do Rio de Janeiro.

1942

Eleito para a Sociedade Felipe d'Oliveira. Organiza *Sonetos completos e poemas escolhidos*, de Antero de Quental.

1943

Nomeado professor de literatura hispano-americana na Faculdade Nacional de Filosofia. Deixa o Colégio Pedro II.

1944

Publica uma nova edição ampliada das suas *Poesias completas* e organiza *Obras poéticas*, de Gonçalves Dias.

1945

Publica *Poemas traduzidos*.

1946

Publica *Apresentação da poesia brasileira*, *Antologia dos poetas brasileiros bissextos contemporâneos* e, no México, *Panorama de la poesía brasileña*.
Conquista o Prêmio de Poesia do IBEC.

1948

Publica *Mafuá do malungo: jogos onomásticos e outros versos de circunstância*, em edição fora de comércio, um novo volume de *Poesias escolhidas* e novas edições aumentadas de *Poesias completas* e *Poemas traduzidos*.
Organiza *Rimas*, de José Albano.

1949

Publica o ensaio *Literatura hispano-americana*.

1951

A convite de amigos, candidata-se a deputado pelo Partido Socialista Brasileiro, mas não se elege.
Publica nova edição, novamente aumentada, das *Poesias completas*.

1952

Publica *Opus 10*, em edição fora de comércio, e a biografia *Gonçalves Dias*.

1954

Publica as memórias *Itinerário de Pasárgada* e o livro de ensaios *De poetas e de poesia*.

1955

Publica *50 poemas escolhidos pelo autor* e *Poesias*. Começa a escrever crônicas para o *Jornal do Brasil*, do Rio de Janeiro, e *Folha da Manhã*, de São Paulo.

1956

Publica o ensaio *Versificação em língua portuguesa*, uma nova edição de *Poemas traduzidos* e, em Lisboa, *Obras poéticas*.
Aposenta-se compulsoriamente como professor de literatura hispano-americana da Faculdade Nacional de Filosofia.

1957

Publica o livro de crônicas *Flauta de papel* e a edição conjunta *Itinerário de Pasárgada / De poetas e de poesia*.
Viaja para Holanda, Inglaterra e França.

1958

Publica *Poesia e prosa* (obra reunida, em dois volumes), a antologia *Gonçalves Dias*, uma nova edição de *Noções de história das literaturas* e, em Washington, *Brief History of Brazilian Literature*.

1960
Publica *Pasárgada*, *Alumbramentos* e *Estrela da tarde*, todos em edição fora de comércio, e, em Paris, *Poèmes*.

1961
Publica *Antologia poética*. Começa a escrever crônicas para o programa *Quadrante*, da Rádio Ministério da Educação.

1962
Publica *Poesia e vida de Gonçalves Dias*.

1963
Publica a segunda edição de *Estrela da tarde* (acrescida de poemas inéditos e da tradução de *Auto sacramental do Divino Narciso*, de Sóror Juana Inés de la Cruz) e a antologia *Poetas do Brasil*, organizada em parceria com José Guilherme Merquior. Começa a escrever crônicas para o programa *Vozes da cidade*, da Rádio Roquette-Pinto.

1964
Publica em Paris o livro *Manuel Bandeira*, com tradução e organização de Michel Simon, e, em Nova York, *Brief History of Brazilian Literature*.

1965
Publica *Rio de Janeiro em prosa & verso*, livro organizado em parceria com Carlos Drummond de Andrade, *Antologia dos poetas brasileiros da fase simbolista* e, em edição fora de comércio, o álbum *Preparação para a morte*.

1966
Recebe, das mãos do presidente da República, a Ordem do Mérito Nacional.
Publica *Os reis vagabundos e mais 50 crônicas*, com organização de Rubem Braga, *Estrela da vida inteira* (poesia completa) e o livro de crônicas *Andorinha, andorinha*, com organização de Carlos Drummond de Andrade.
Conquista o título de Cidadão Carioca, da Assembleia Legislativa do Estado da Guanabara, e o Prêmio Moinho Santista.

1967

Publica *Poesia completa e prosa*, em volume único, e a *Antologia dos poetas brasileiros da fase moderna*, em dois volumes, organizada em parceria com Walmir Ayala.

1968

Publica o livro de crônicas *Colóquio unilateralmente sentimental*.
Falece a 13 de outubro, no Rio de Janeiro.

Bibliografia básica sobre Manuel Bandeira

ANDRADE, Carlos Drummond de. Entre Bandeira e Oswald de Andrade. In: _____. *Tempo vida poesia*: confissões no rádio. Rio de Janeiro: Record, 1986.

_____. Manuel Bandeira. In: _____. *Passeios na ilha*: divagações sobre a vida literária e outras matérias. Rio de Janeiro: Organização Simões, 1952.

_____ et al. *Homenagem a Manuel Bandeira*. Rio de Janeiro: Typ. do *Jornal do Commercio*, 1936. 2. ed. fac-similar. São Paulo: Metal Leve, 1986.

ANDRADE, Mário de. A poesia em 1930. In: _____. *Aspectos da literatura brasileira*. 5. ed. São Paulo: Martins, 1974.

ARRIGUCCI JR., Davi. A beleza humilde e áspera. In: _____. *O cacto e as ruínas*: a poesia entre outras artes. 2. ed. São Paulo: Duas Cidades/Editora 34, 2000.

_____. Achados e perdidos. In: _____. *Outros achados e perdidos*. São Paulo: Companhia das Letras, 1999.

_____. *Humildade, paixão e morte*: a poesia de Manuel Bandeira. São Paulo: Companhia das Letras, 1990.

_____. O humilde cotidiano de Manuel Bandeira. In: SCHWARZ, Roberto (Org.). *Os pobres na literatura brasileira*. São Paulo: Brasiliense, 1983.

BACIU, Stefan. *Manuel Bandeira de corpo inteiro*. Rio de Janeiro: José Olympio, 1966.

BARBOSA, Francisco de Assis. *Manuel Bandeira, 100 anos de poesia*: síntese da vida e obra do poeta maior do Modernismo. Recife: Pool, 1988.

_____. Manuel Bandeira, estudante do Colégio Pedro II. In: _____. *Achados do vento*. Rio de Janeiro: Ministério da Educação e Cultura/Instituto Nacional do Livro, 1958.

BEZERRA, Elvia. *A trinca do Curvelo*: Manuel Bandeira, Ribeiro Couto e Nise da Silveira. Rio de Janeiro: Topbooks, 1995.

BRASIL, Assis. *Manuel e João*: dois poetas pernambucanos. Rio de Janeiro: Imago, 1990.

BRAYNER, Sônia (Org.). *Manuel Bandeira*. Rio de Janeiro: Civilização Brasileira; Brasília: Instituto Nacional do Livro, 1980.

CANDIDO DE MELLO E SOUZA, Antonio. Carrossel. In: _____. *Na sala de aula*: caderno de análise literária. São Paulo: Ática, 1985.

_____; MELLO E SOUZA, Gilda de. Introdução. In: BANDEIRA, Manuel. *Estrela da vida inteira*: poesias reunidas. Rio de Janeiro: José Olympio, 1966.

CARPEAUX, Otto Maria. Bandeira. In: _____. *Ensaios reunidos*: 1942-1968. Rio de Janeiro: UniverCidade/Topbooks, 1999.

_____. Última canção – vasto mundo. In: _____. *Origens e fins*. Rio de Janeiro: Casa do Estudante do Brasil, 1943.

CASTELLO, José Aderaldo. Manuel Bandeira – sob o signo da infância. In: _____. *A literatura brasileira*: origens e unidade. São Paulo: Edusp, 1999. v. 2.

COELHO, Joaquim-Francisco. *Biopoética de Manuel Bandeira*. Recife: Massangana, 1981.

_____. *Manuel Bandeira pré-modernista*. Rio de Janeiro: José Olympio; Brasília: Instituto Nacional do Livro, 1982.

CORRÊA, Roberto Alvim. Notas sobre a poesia de Manuel Bandeira. In: _____. *Anteu e a crítica*: ensaios literários. Rio de Janeiro: José Olympio, 1948.

COUTO, Ribeiro. *Três retratos de Manuel Bandeira*. Organização de Elvia Bezerra. Rio de Janeiro: Academia Brasileira de Letras, 2004.

ESPINHEIRA FILHO, Ruy. *Forma e alumbramento*: poética e poesia em Manuel Bandeira. Rio de Janeiro: José Olympio/Academia Brasileira de Letras, 2004.

FONSECA, Edson Nery da. *Alumbramentos e perplexidades*: vivências bandeirianas. São Paulo: Arx, 2002.

FREYRE, Gilberto. A propósito de Manuel Bandeira. In: _____. *Tempo de aprendiz*. São Paulo: Ibrasa; Brasília: Instituto Nacional do Livro, 1979.

_____. Dos oito aos oitenta. In: _____. *Prefácios desgarrados*. Rio de Janeiro: Cátedra; Brasília: Instituto Nacional do Livro, 1978. v. 2.

_____. Manuel Bandeira em três tempos. In: _____. *Perfil de Euclides e outros perfis*. 2. ed. aumentada. Rio de Janeiro: Record, 1987. 3. ed. revista. São Paulo: Global, 2011.

GARBUGLIO, José Carlos. *Roteiro de leitura*: poesia de Manuel Bandeira. São Paulo: Ática, 1998.

GARDEL, André. *O encontro entre Bandeira e Sinhô*. Rio de Janeiro: Secretaria Municipal de Cultura/Departamento Geral de Documentação e Informação Cultural/Divisão de Editoração, 1996.

GOLDSTEIN, Norma Seltzer. *Do penumbrismo ao Modernismo*: o primeiro Bandeira e outros poetas significativos. São Paulo: Ática, 1983.

_____ (Org.). *Traços marcantes no percurso poético de Manuel Bandeira*. São Paulo: Humanitas, 2005.

GOYANNA, Flávia Jardim Ferraz. *O lirismo antirromântico em Manuel Bandeira*. Recife: Fundarpe, 1994.

GRIECO, Agrippino. Manuel Bandeira. In: _____. *Poetas e prosadores do Brasil*: de Gregório de Matos a Guimarães Rosa. Rio de Janeiro: Conquista, 1968.

GUIMARÃES, Júlio Castañon. *Manuel Bandeira*: beco e alumbramento. São Paulo: Brasiliense, 1984.

_____. *Por que ler Manuel Bandeira*. São Paulo: Globo, 2008.

IVO, Lêdo. *A república da desilusão*: ensaios. Rio de Janeiro: Topbooks, 1994.

_____. Estrela de Manuel. In: _____. *Poesia observada*: ensaios sobre a criação poética e matérias afins. 2. ed. São Paulo: Duas Cidades, 1978.

_____. *O preto no branco*: exegese de um poema de Manuel Bandeira. Rio de Janeiro: São José, 1955.

JUNQUEIRA, Ivan. Humildade, paixão e morte. In: _____. *Prosa dispersa*: ensaios. Rio de Janeiro: Topbooks, 1991.

_____. *Testamento de Pasárgada*. Rio de Janeiro: Nova Fronteira, 1980. 3. ed. São Paulo: Global, 2014.

KOSHIYAMA, Jorge. O lirismo em si mesmo: leitura de "Poética" de Manuel Bandeira. In: BOSI, Alfredo (Org.). *Leitura de poesia*. São Paulo: Ática, 1996.

LIMA, Rocha. *Dois momentos da poesia de Manuel Bandeira*. Rio de Janeiro: José Olympio, 1992.

LOPEZ, Telê Porto Ancona (Org.). *Manuel Bandeira*: verso e reverso. São Paulo: T. A. Queiroz, 1987.

MARTINS, Wilson. Bandeira e Drummond... In: _____. *Pontos de vista*: crítica literária 1954-1955. São Paulo: T. A. Queiroz, 1991. v. 1.

_____. Manuel Bandeira. In: _____. *A literatura brasileira*: o Modernismo. São Paulo: Cultrix, 1965. v. 6.

MERQUIOR, José Guilherme. O Modernismo e três dos seus poetas. In: _____. *Crítica 1964-1989*: ensaios sobre arte e literatura. Rio de Janeiro: Nova Fronteira, 1990.

MILLIET, Sérgio. *Panorama da moderna poesia brasileira*. Rio de Janeiro: Ministério da Educação e Saúde/ Serviço de Documentação, 1952.

MONTEIRO, Adolfo Casais. *Manuel Bandeira*. Rio de Janeiro: Ministério da Educação e Cultura/Serviço de Documentação, 1958.

MORAES, Emanuel de. *Manuel Bandeira*: análise e interpretação literária. Rio de Janeiro: José Olympio, 1962.

MOURA, Murilo Marcondes de. *Manuel Bandeira*. São Paulo: Publifolha, 2001.

MURICY, Andrade. Manuel Bandeira. In: _____. *A nova literatura brasileira*: crítica e antologia. Porto Alegre: Globo, 1936.

_____. Manuel Bandeira. In: _____. *Panorama do movimento simbolista brasileiro*. 2. ed. Brasília: Conselho Federal de Cultura/Instituto Nacional do Livro, 1973. v. 2.

PAES, José Paulo. Bandeira tradutor ou o esquizofrênico incompleto. In: _____. *Armazém literário*: ensaios. São Paulo: Companhia das Letras, 2008.

_____. Pulmões feitos coração. In: _____. *Os perigos da poesia e outros ensaios*. Rio de Janeiro: Topbooks, 1997.

PONTIERO, Giovanni. *Manuel Bandeira*: visão geral de sua obra. Tradução de Terezinha Prado Galante. Rio de Janeiro: José Olympio, 1986.

ROSENBAUM, Yudith. *Manuel Bandeira*: uma poesia da ausência. São Paulo: Edusp; Rio de Janeiro: Imago, 1993.

SENNA, Homero. Viagem a Pasárgada. In: _____. *República das letras*: 20 entrevistas com escritores. 2. ed. revista e ampliada. Rio de Janeiro: Gráfica Olímpica, 1968.

SILVA, Alberto da Costa e. Lembranças de um encontro. In: _____. *O pardal na janela*. Rio de Janeiro: Academia Brasileira de Letras, 2002.

SILVA, Beatriz Folly e; LESSA, Maria Eduarda de Almeida Vianna. *Inventário do arquivo Manuel Bandeira*. Rio de Janeiro: Fundação Casa de Rui Barbosa, 1989.

SILVA, Maximiano de Carvalho e. *Homenagem a Manuel Bandeira*: 1986-1988. Niterói: Sociedade Sousa da Silveira; Rio de Janeiro: Monteiro Aranha/Presença, 1989.

SILVEIRA, Joel. Manuel Bandeira, 13 de março de 1966, em Teresópolis: "Venham ver! A vaca está comendo as flores do Rodriguinho. Não vai sobrar uma.

Que beleza!". In: _____. *A milésima segunda noite da avenida Paulista e outras reportagens*. São Paulo: Companhia das Letras, 2003.

VILLAÇA, Antonio Carlos. M. B. In: _____. *Encontros*. Rio de Janeiro/Brasília: Editora Brasília, 1974.

_____. Manuel, Manu. In: _____. *Diário de Faxinal do Céu*. Rio de Janeiro: Lacerda, 1998.

XAVIER, Elódia F. (Org.). *Manuel Bandeira*: 1886-1986. Rio de Janeiro: UFRJ/Antares, 1986.

XAVIER, Jairo José. *Camões e Manuel Bandeira*. Rio de Janeiro: Ministério da Educação e Cultura/Departamento de Assuntos Culturais, 1973.

Índice de primeiros versos

A uremia não o deixava dormir. A filha deu uma injeção de sedol.	63
Aquela cor de cabelos	33
As três mulheres do sabonete Araxá me invocam, me bouleversam, me hipnotizam.	27
Atirei um céu aberto	29
Café com pão	57
Cara de cobra,	39
Constellations	47
D. Janaína	53
Entre estas Índias de leste	23
Eu quero a estrela da manhã	21
Fiz tantos versos a Teresinha...	41
Jacqueline morreu menina.	51
Juiz de Fora! Juiz de Fora!	73
Lembrava-se, como se fosse ontem, isto é, há quarenta séculos, que um exército de pirâmides o contemplava. Mas não saberia precisar onde, a que luz ou em que sol de que extinta constelação. Não obstante preferia que fosse na estrela mais branca do cinturão de Órion.	31
Marinheiro triste	37
– Meu pai, ah que me esmaga a sensação do nada!	69
Misael, funcionário da Fazenda, com 63 anos de idade,	61
Nas ondas da praia	35
No hall do Palace o pintor	71
Os cavalinhos correndo,	67

Pálidas crianças	75
Prendei o rio	55
Quando o enterro passou	43
Quando o menino de engenho	65
Quando o poeta aparece,	49
Que importa a paisagem, a Glória, a baía, a linha do horizonte?	25
Quero banhar-me nas águas límpidas	45
Vésper caiu cheia de pudor na minha cama	77

Índice

O poeta da transição – *Ferreira Gullar*   15

Estrela da manhã   21
Canção das duas Índias   23
Poema do beco   25
Balada das três mulheres do sabonete Araxá   27
O amor, a poesia, as viagens   29
O desmemoriado de Vigário Geral   31
A filha do rei   33
Cantiga   35
Marinheiro triste   37
Boca de forno   39
Oração a Nossa Senhora da Boa Morte   41
Momento num café   43
Contrição   45
Chanson des petits esclaves   47
Sacha e o poeta   49
Jacqueline   51
D. Janaína   53
Trucidaram o rio   55
Trem de ferro   57
Tragédia brasileira   61
Conto cruel   63
Os voluntários do Norte   65
Rondó dos cavalinhos   67
Nietzschiana   69

Rondó do Palace Hotel	71
Declaração de amor	73
Flores murchas	75
A estrela e o anjo	77
Cronologia	79
Bibliografia básica sobre Manuel Bandeira	85
Índice de primeiros versos	91

Rua Xavier Curado, 388 • Ipiranga - SP • 04210 100
Tel.: (11) 2063 7000 • Fax: (11) 2061 8709
rettec@rettec.com.br • www.rettec.com.br